C000241596

La grand[illegible]ée de
M. PETIT

MONSIEUR MADAME
MONSIEUR MADAME

Publié pour la première fois par Egmont sous le titre *Mr. Small a big day out.*

Traduction : Anne Marchand-Kalicky.

La grande journée de M. PETIT

Roger Hargreaves

hachette
JEUNESSE

Ce jour-là, monsieur Petit était en pleine promenade.
Et, il faut bien le dire, cela lui prit tout l'après-midi !
Pas facile d'avancer quand on fait des pas aussi rikiki
que monsieur Petit.

Quand il fut enfin sorti de son jardin, monsieur Petit s'assit sous un arbre, tout essoufflé.
– Je voudrais tellement être plus grand, soupira-t-il. Beaucoup, beaucoup plus grand…

Ce qu'ignorait monsieur Petit, c'est qu'un magicien faisait la sieste de l'autre côté de l'arbre.
Il avait donc tout entendu !

Sans même ouvrir les yeux, il murmura une formule magique puis se rendormit tranquillement.

Alors, quelque chose d'extraordinaire se produisit.
Quelque chose de magique !
Monsieur Petit se mit à grandir…

Et à grandir…

Et à grandir encore…

… jusqu'à ce que sa tête se cogne contre les branches !

Quand il réussit à se dégager de là, monsieur Petit constata qu'il avait drôlement changé !
– Ça alors ! s'écrie-t-il. Me voici plus grand qu'un arbre !
Il n'en croyait pas ses yeux !
C'était merveilleux ! Il avait l'impression de dominer le monde.
Monsieur Petit était impatient d'essayer sa nouvelle taille.

Il sauta par-dessus les arbres et les rivières…

Il effraya monsieur Malpoli qui eut la peur de sa vie…

Il fut plus costaud que monsieur Costaud...

Plus bruyant que monsieur Bruit…

Et plus grand que monsieur Grand !

Il réussit même à joindre ses mains autour du ventre de monsieur Glouton !

Monsieur Petit passait vraiment une belle journée ! Épuisé, il s'assit sous un arbre pour se reposer. Et, tandis qu'il dormait, il reprit peu à peu sa taille normale...

Le magicien lui avait jeté un sort qui ne durait qu'une journée.

Quand il se réveilla, il faisait nuit noire.
« Quel merveilleux rêve ! » se dit-il avant de se lever pour rentrer chez lui.
Mais il se cogna contre quelque chose. Il était pris au piège !

Cependant, après en avoir tâté les parois, il découvrit un passage où le mur se soulevait.

Il rampa tout doucement dehors…

... et découvrit qu'il se trouvait sous un chapeau
qui ressemblait beaucoup au sien mais en beaucoup,
beaucoup plus grand.
Le vieux magicien n'avait pas prononcé sa formule
correctement. Monsieur Petit avait rétréci, mais pas
son chapeau !
« Eh bien... peut-être que ce n'était pas un rêve,
après tout », pensa-t-il.
Et depuis cette folle journée, monsieur Petit a
un immense chapeau...

… un chapeau de géant pour un monsieur Petit tout rikiki !

RÉUNIS VITE LA COLLECTION ENTIÈRE

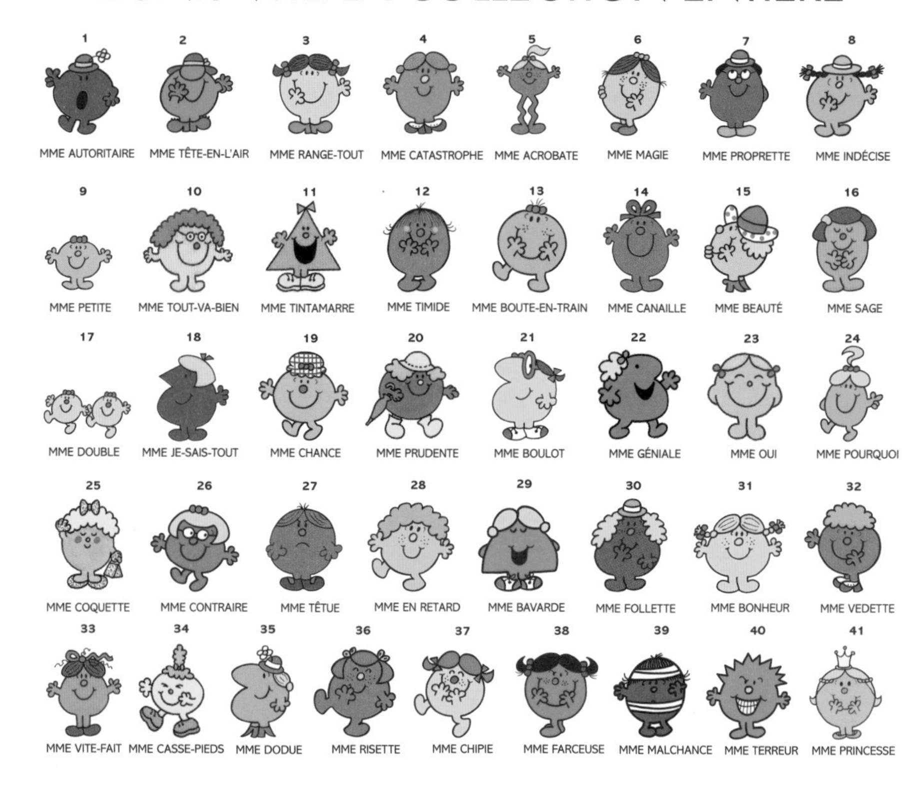
1
MME AUTORITAIRE
2
MME TÊTE-EN-L'AIR
3
MME RANGE-TOUT
4
MME CATASTROPHE
5
MME ACROBATE
6
MME MAGIE
7
MME PROPRETTE
8
MME INDÉCISE
9
MME PETITE
10
MME TOUT-VA-BIEN
11
MME TINTAMARRE
12
MME TIMIDE
13
MME BOUTE-EN-TRAIN
14
MME CANAILLE
15
MME BEAUTÉ
16
MME SAGE
17
MME DOUBLE
18
MME JE-SAIS-TOUT
19
MME CHANCE
20
MME PRUDENTE
21
MME BOULOT
22
MME GÉNIALE
23
MME OUI
24
MME POURQUOI
25
MME COQUETTE
26
MME CONTRAIRE
27
MME TÊTUE
28
MME EN RETARD
29
MME BAVARDE
30
MME FOLLETTE
31
MME BONHEUR
32
MME VEDETTE
33
MME VITE-FAIT
34
MME CASSE-PIEDS
35
MME DODUE
36
MME RISETTE
37
MME CHIPIE
38
MME FARCEUSE
39
MME MALCHANCE
40
MME TERREUR
41
MME PRINCESSE

DES **MONSIEUR MADAME**

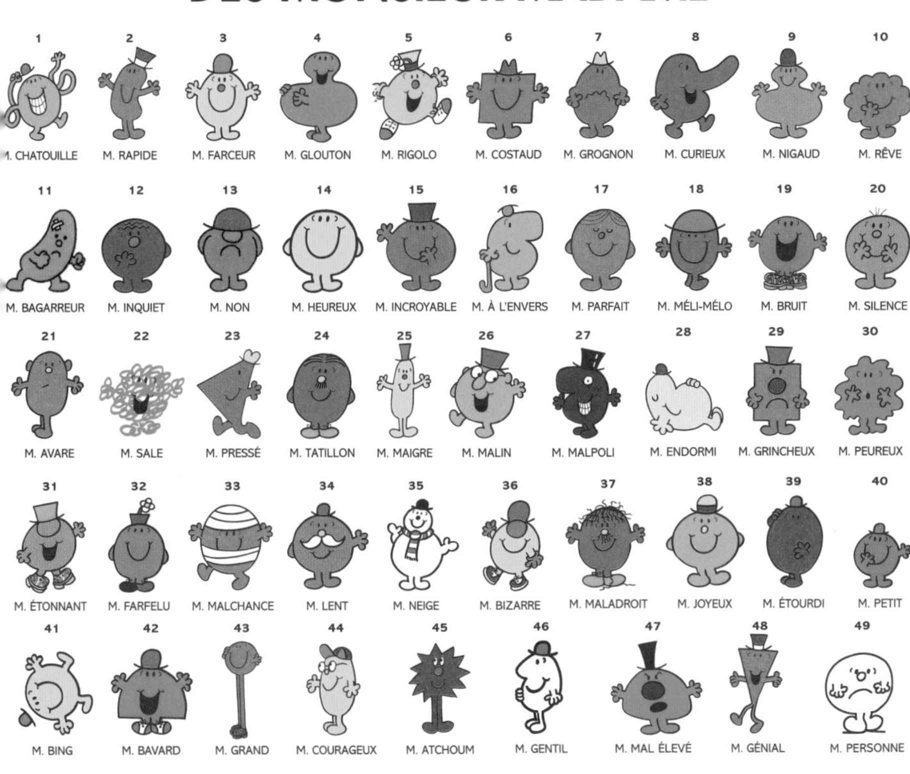

1
M. CHATOUILLE
2
M. RAPIDE
3
M. FARCEUR
4
M. GLOUTON
5
M. RIGOLO
6
M. COSTAUD
7
M. GROGNON
8
M. CURIEUX
9
M. NIGAUD
10
M. RÊVE
11
M. BAGARREUR
12
M. INQUIET
13
M. NON
14
M. HEUREUX
15
M. INCROYABLE
16
M. À L'ENVERS
17
M. PARFAIT
18
M. MÉLI-MÉLO
19
M. BRUIT
20
M. SILENCE
21
M. AVARE
22
M. SALE
23
M. PRESSÉ
24
M. TATILLON
25
M. MAIGRE
26
M. MALIN
27
M. MALPOLI
28
M. ENDORMI
29
M. GRINCHEUX
30
M. PEUREUX
31
M. ÉTONNANT
32
M. FARFELU
33
M. MALCHANCE
34
M. LENT
35
M. NEIGE
36
M. BIZARRE
37
M. MALADROIT
38
M. JOYEUX
39
M. ÉTOURDI
40
M. PETIT
41
M. BING
42
M. BAVARD
43
M. GRAND
44
M. COURAGEUX
45
M. ATCHOUM
46
M. GENTIL
47
M. MAL ÉLEVÉ
48
M. GÉNIAL
49
M. PERSONNE

Édité par Hachette Livre – 43, quai de Grenelle, 75905 Paris Cedex 15.
ISBN : 978-2-01-227186-9
Dépôt légal : octobre 2012
Loi n°49-956 du 16 juillet 1949 sur les publications destinées la jeunesse.
Imprimé par IME (Baume-les-Dames), en France.